El mundo de los
Piratas

LIBSA

¡Bienvenidos al mundo de los Piratas!

En el mundo de las piratas ocurren un montón de cosas, desde un opíparo banquete en la playa o una tremenda pelea en el puerto hasta un increíble abordaje. Cada ilustración de este libro tiene toda clase de cosas maravillosas y extraordinarias relacionadas con los piratas para buscar y descubrir. En cada página encontrarás en pequeños círculos todo lo que tienes que buscar, desde patas de palo hasta fieros tiburones... ¡y también otras muchas cosas!

Pero antes de empezar, te vamos a presentar a los personajes que protagonizan todas las escenas piratas:

Los piratas

Juerguistas y siempre metidos en líos, estos rudos marineros eran la tripulación de los barcos piratas del Caribe. Recorrían los mares buscando tesoros y viviendo miles de peligrosas aventuras, aunque siempre había lugar para el descanso... ¡y una buena comida!

El capitán

Es el que gobierna la nave pirata, el que pone orden entre su ruidosa tripulación y quien decide a qué isla poner rumbo para buscar cualquier tesoro escondido. Suele ir acompañado de un loro que se posa en su hombro, y se le reconoce por su pata de palo y un garfio en la mano, fruto de algún desafortunado encuentro con un tiburón...

Los grumetes

Son sin duda los marineros más trabajadores de toda la tripulación: a ellos les toca limpiar la cubierta, barrer los suelos, hacer la comida, servir la mesa... y hacer todo tipo de duros trabajos que puedas imaginar. ¡Qué sería de un barco pirata sin ellos!

¡Tiburones!

Son los enemigos naturales de los piratas, siempre nadando cerca de su barco, por si alguno se despista y cae al agua... ¡y entonces allí estarán para dar buena cuenta de él! Uno de los castigos que los piratas imponían a sus prisioneros era hacerles andar con los ojos vendados por una pasarela para que cayeran al mar y se los comieran los tiburones...

Además, tendrás que buscar objetos relacionados con los piratas, como...

cofres del tesoro

botellas con mensaje

patas de palo

mapas del tesoro

calaveras

sirenas

barriles

¡y muchas cosas más...!

A bordo del barco pirata

Los piratas preparan su barco para recorrer los mares del Sur. Busca un perrito con un parche en el ojo y un pirata con mapas en la mano.

A ver si puedes encontrar también...

un pez
gris

dos
barriles

tres
gatos

cuatro
botellas
de ron

cinco
lámparas

seis
calaveras

siete
cinturones
marrones

ocho
ratones

nueve
gaviotas

diez
parches

veinte pantalones
azules

Busca en la ilustración...

 un mapa del tesoro

 dos cangrejos

 tres cofres

 cuatro barriles

 cinco aletas de tiburón

 seis botellas de ron

 siete sombreros negros

 ocho patas de palo

 nueve parches

 diez estrellas de mar

 veinte flores rojas

¿Has encontrado todo?

En la isla del tesoro

Los piratas escondían sus tesoros en las desiertas islas del Caribe... ¿Desiertas? Bueno, no todas... Busca una ranita y un pájaro con un sombrero pirata rojo.

Fiesta pirata

Los piratas se reúnen en la taberna
del puerto para divertirse...

Tú mientras busca trece
espadas y diez telarañas.

Busca y encuentra...

una rana

dos perros

tres gatos

cuatro lámparas

cinco raspas de pescado

seis botas de cuero

siete taburetes

ocho barriles

nueve ratones

diez moscas

veinte jarras

¿Lo has conseguido?

Ahora tienes que buscar...

un ancla

dos gaviotas

tres sirenas

cuatro cañones

cinco espadas

seis barriles

siete palmeras

ocho pañuelos rojos

nueve flores

diez balas de cañón

veinte tiburones

¿Has encontrado todo?

El mapa del tesoro

Busca en el mapa una serpiente marina y cuatro calaveras.

Pelea en el puerto

¡Qué alboroto!
Busca entre el tumulto
dos loros verdes
y un cinturón de cuero.

una pulsera
de perlas

dos
cofres

tres
tiburones

cuatro
arañas

cinco botas
de cuero

seis
botellas
de ron

siete
barriles

ocho
parches

nueve
pantalones
a rayas

diez
monedas
de oro

veinte ratones

¿Lo has encontrado?

una botella
con mensaje

dos huevos
fritos

tres
perros

cuatro
cofres

cinco
pollos

seis
barriles

siete raspas
de pescado

ocho
banquetas

nueve
muslitos
de pollo

diez
manzanas

veinte estrellas de mar

¿Has encontrado todo?

Banquete en la **playa**

¡Los piratas siempre tienen buen apetito!
Claro, ¡para correr aventuras hay que
estar fuerte! Busca en este banquete
dos zanahorias y un trozo de queso.

Caos en la bodega

¡En la bodega del barco pirata la actividad es frenética! Busca un ratón que come un trozo de queso y un perro con un hueso en la boca.

una
gallina

dos huevos
fritos

tres
jamones

cuatro
cubos

cinco
lámparas

seis
monedas
de oro

siete
parches

ocho
barriles

nueve
pañuelos
de lunares

diez
panes

veinte manzanas

¿Lo has encontrado?

En este barco debes buscar...

un violín

dos ratones

tres gaviotas

cuatro garfios

cinco murciélagos

seis tiburones

siete fantasmas

ocho telarañas

nueve estrellas

diez esqueletos piratas

veinte moscas

¿Has encontrado todo?

El barco fantasma

Este barco tripulado por fantasmas está condenado a vagar para siempre por los océanos del mundo... Busca un loro morado y una flor roja.

La bodega de Davy Jones

Entre los piratas, la expresión «estar en la bodega de Davy Jones» significaba que alguien se encontraba, vivo o muerto, en el fondo del mar... Busca entre los restos del naufragio un cepillo de pelo y una llave.

una
corona

dos botellas
con mensaje

tres
barriles

cuatro
cofres

cinco
escafandras

seis
tiburones

siete
espadas

ocho
parches

nueve botas
con hebilla

diez estrellas
de mar

veinte peces rojos

¿Los has encontrado?

Aquí tienes que buscar...

un gato

dos banderas piratas

tres cañones

cuatro cofres

cinco bolas de cañón

seis tiburones

siete ratones

ocho pañuelos de lunares

nueve gaviotas

diez chalecos negros

veinte espadas

¿Has encontrado todo?

¡Al abordaje!

Dos navíos piratas se han encontrado en alta mar... Encuentra tú en esta escena una manzana y dos gaviotas con pañuelos rojos de lunares.

¡Que vienen los vikingos!

Estos piratillas recorrían los mares del norte de Europa con sus barcos, los «drakkar»... Busca un cangrejo y una flor roja.

Tienes que encontrar...

un hacha

dos flotadores

tres cuernos

cuatro espadas

cinco rocas

seis peces

siete remos

ocho escudos con algo rojo

nueve cascos naranjas

diez moscas

veinte gaviotas

¿Lo has conseguido?

¡Bien hecho!

Seguro que ya has encontrado todas las cosas del mundo de los piratas que te hemos propuesto. Pero ahora vuelve atrás e intenta buscar estas otras cosas a lo largo de las ilustraciones del libro:

un grumete
limpiando

un pirata jugando
a las damas

un pulpo con un
parche en el ojo

un perrito
haciendo pis

un pirata
tocando el violín

un ratón pirata
con un queso

un pirata
durmiendo

dos piratas
peleándose

dos piratas
bailando

un pirata agarrado
a una tabla

una gaviota
sobre una espada

un pirata
con un tesoro

un pirata
pescando

un ratón
bebiendo agua

dos gaviotas
charlando

un gato
con un ratón

una sirena
descansando
sobre una roca

un pirata
con los ojos
vendados

un pirata colgado
de una palmera

un pirata
con un tenedor
en la mano

un loro pirata
sobre un barril

un pirata
subiendo
por una cadena

un vigía
señalando tierra

un ratón
sobre un flotador

un pirata
con un bocadillo

un pirata y su
chica enamorados

un pirata
haciendo el pino

otro perro pirata
haciendo pis

1. Encuentra las siete diferencias entre las dos escenas:

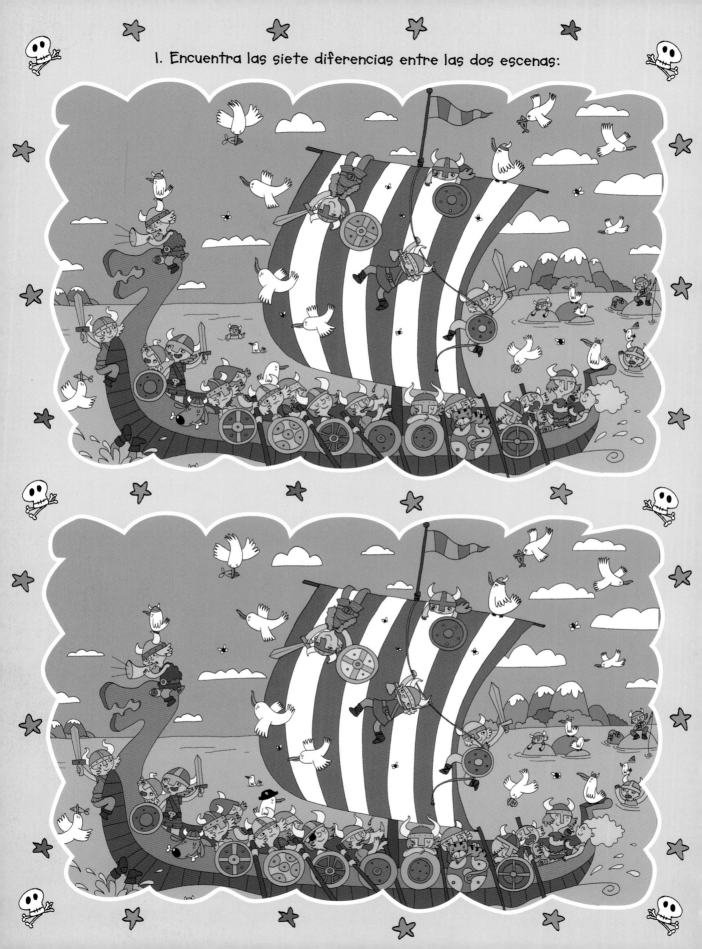

3. Busca las cinco cosas que no están repetidas:

4. Une los puntos y ayuda al pirata a saber de qué objeto se trata:

SOLUCIONES

4.

3. No están repetidas el mapa del tesoro, el tiburón, la botella con mensaje, el gato y la bandera pirata.

2.

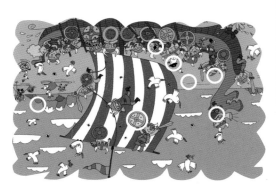

1.

El mundo de los Piratas

- ¡Bienvenidos al mundo de los Piratas! •
- A bordo del barco pirata •
- En la isla del tesoro •
- Fiesta pirata •
- El mapa del tesoro •
- Pelea en el puerto •
- Banquete en la playa •
- Caos en la bodega •
- El barco fantasma •
- La bodega de Davy Jones •
- ¡Al abordaje! •
- ¡Que vienen los vikingos! •
- Juegos •

© 2013, Editorial LIBSA
C/ San Rafael, 4
28108 Alcobendas (Madrid)
Tel.: (34) 91 657 25 80
Fax: (34) 91 657 25 83
e-mail: libsa@libsa.es
www.libsa.es

Proyecto: Equipo editorial LIBSA
Colaboración en ilustración: Susana Hoslet Barrios
Edición y maquetación: Equipo editorial LIBSA

ISBN: 978-84-662-2678-3

DL: M-2024-2013